*Un sourire, un câlin, et je n'ai peur de rien.*
OL

*Aux petits loups qu'on dit ne pas être très dégourdis*
*et qui accompliront de grandes choses dans leur vie.*
ET

# Le loup
## qui avait peur de son ombre

Texte de Orianne Lallemand
Illustrations de Éléonore Thuillier

AUZOU

Il était une fois un jeune loup qui avait peur de tout.
Tout petit déjà, le moindre bruit l'effrayait, et quand
les autres se mettaient à hurler, il allait se cacher, terrorisé.

Pour un loup, c'était très embêtant.

Il avait peur du noir. Dès que la nuit tombait,
il filait se coucher. Une fois à l'abri des draps,
il fallait garder une lumière allumée, au cas où
un monstre se serait caché sous son lit...
prêt à ne faire qu'une bouchée de lui !

Pauvre Loup...
Même son ombre l'effrayait !

Monstres gluants, serpents venimeux,
chauves-souris assoiffées de sang...
Il les imaginait tous tapis dans la forêt.

Alors pas question d'aller cueillir des champignons
s'il n'était pas accompagné, ah ça non !

Quant à la chasse, ce n'était pas la peine d'y penser. Même en meute, l'idée de se trouver nez à nez avec une bête poilue le faisait détaler. Et de toute façon, il n'aimait pas la viande crue.

De mémoire de loup, cela ne s'était jamais vu.

« Mon Loup, cela ne peut plus durer, lui dit un jour sa maman.
Tu dois voir le monde et affronter tes peurs.
Ici, tu ne trouveras pas ton bonheur.
– J'ai confiance en toi, ajouta son papa. Tu y arriveras. »

C'est ainsi que Loup se retrouva un matin, la peur au ventre, tout seul sur le chemin.

Loup avait à peine fait quelques pas qu'il entendit
des voix : deux silhouettes inquiétantes approchaient...
Complètement affolé, il bondit dans les fourrés et...
**AÏE ! AÏE ! AÏE !**
Il atterrit dans les orties !

« Oh non, gémit Loup, ce sont sûrement des brigands,
ils vont me trancher le cou. »

Apparurent alors près de lui
un ours et un renard à l'air rigolard.
« Hé l'ami ! Pour te cacher,
tu n'es pas très doué, l'interpella l'ours.
Allez, viens par là, montre-toi ! »

Tout penaud, Loup sortit de sa cachette. Et, à son grand
étonnement, il passa un excellent moment.

Loup se remit en route le cœur en joie.
Hélas, cela ne dura pas, car le soir tombait déjà.
« Oh là là, se lamenta Loup, une nuit tout
seul dans la forêt, je n'y survivrai pas !
– **BOUHOUHOU**, pleura une autre voix, le loup est là,
je suis perdu ! »

Loup regarda autour de lui et découvrit un petit lapin
prisonnier d'un piège.
« Hé ! Je ne suis pas un méchant loup, le rassura-t-il.
Je vais te sortir de là. »

Soudain, un rayon de lumière les éblouit tous les deux.

16

Horreur ! Devant eux se tenait un chasseur. Découvrant Loup, il poussa un cri et laissa tomber son fusil. Le cœur battant à tout rompre, Loup s'avança, délivra le petit lapin et s'enfuit dans la nuit…

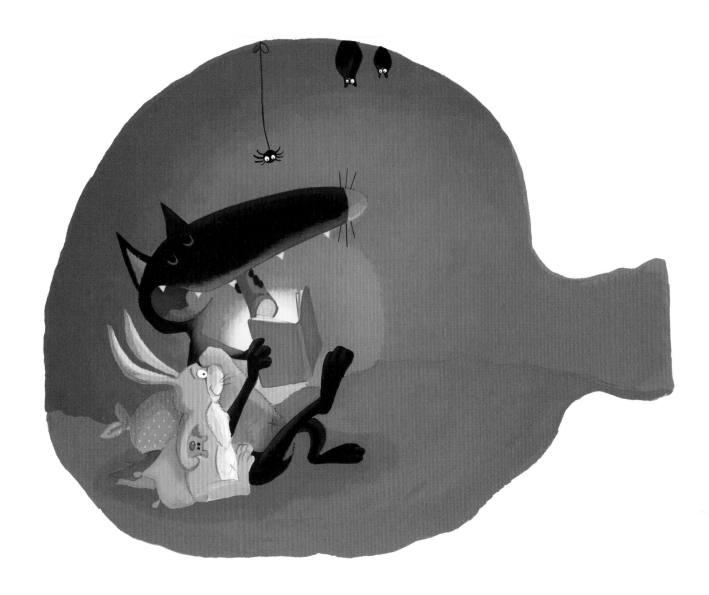

Loup courut, courut pendant des kilomètres. Épuisé, il dénicha
un vieux terrier et s'y installa avec le lapereau tout secoué.
Pour le réconforter, Loup passa la soirée à lui raconter
des histoires de cape et d'épée. C'étaient ses préférées.

Quand le petit s'endormit blotti tout contre lui,
Loup se dit que la nuit, c'était doux aussi.

Le lendemain, Loup aida le petit lapin à retrouver les siens.
Madame Lapin lui donna assez de carottes, de mûres
et de noix pour tenir toute la journée.
Pour la première fois, il se sentait l'âme d'un aventurier.

Loup reprit sa route en sifflotant quand il entendit
**CRAC... CRAC... CRAC...** de drôles de craquements !
« Que faire ? paniqua Loup, cela m'a tout l'air d'un troll
en colère ! »

« **AHHH** ! hurla Loup quand le monstre jaillit des buissons devant lui.
– **AHHH** ! » répondit la créature terrorisée.
Ce n'était pas un troll : c'était un énorme loup !

« Quelle peur tu m'as
faite ! Je m'appelle
Gros-Louis. Et toi ?
– Loup… répondit
Loup d'une petite voix.

FORÊT
LOINTAINE

– Je vois bien que tu es un loup, rigola Gros-Louis.
Je te demande ton nom.
– Loup tout court, bougonna Loup.
– Enchanté, Loup-tout-court, fit Gros-Louis, amusé.
Viens avec moi, je vais te présenter à mes amis. »

Dans une clairière, tout près de là, une joyeuse bande pique-niquait.
« Hé les amis ! fit Gros-Louis, on a de la visite ! Loup, je te présente
Valentin, le plus malin; ici c'est Joshua, un peu timide et ça se voit !
Et voici Alfred, notre champion, et puis il y a moi, Gros-Louis,
le joyeux drille de la compagnie ! »

Les loups éclatèrent
de rire tandis que
Gros-Louis faisait une
révérence. Loup les regarda
un à un, et il comprit qu'il
était arrivé au bout du chemin.

Confortablement installé, Loup raconta aux autres loups son histoire : ses peurs depuis qu'il était tout petit, ses frères qui se moquaient de lui et comment il était arrivé ici...

Quand il eut terminé,
Valentin s'écria :
« Eh bien, les copains,
on dirait qu'il y a un
nouvel ami dans la bande.
Et quelque chose me dit
qu'on ne va pas s'ennuyer
avec lui ! »

C'est ainsi, et pas autrement, que Loup arriva dans la Forêt lointaine. De ce jour, il se sentit bien, et il n'eut plus peur de rien...

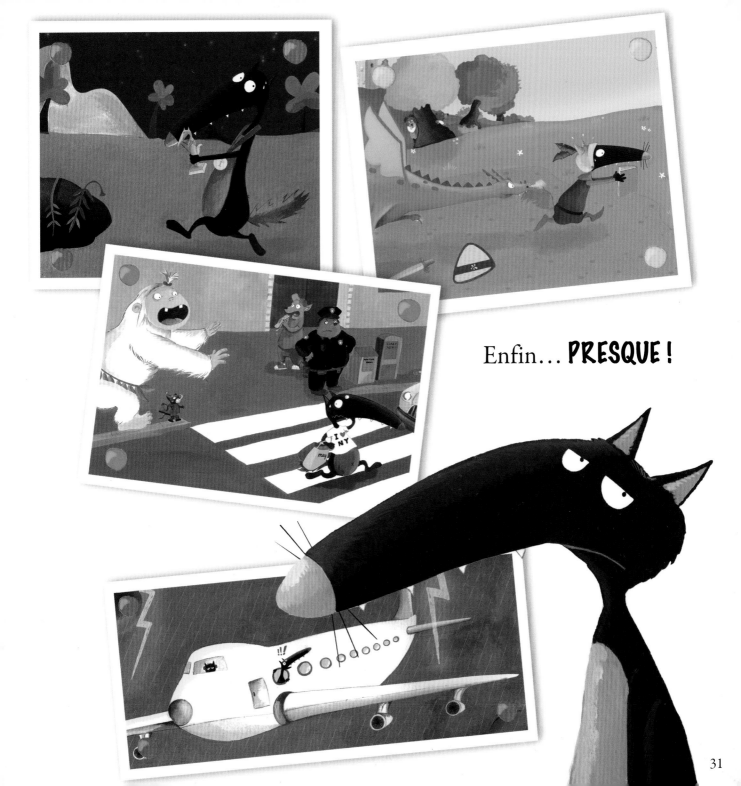

Enfin… **PRESQUE !**

31

Direction générale : Gauthier Auzou
Responsable éditoriale : Laura Levy
Assistante éditoriale : Marjorie Demaria
Maquette : Mylène Gache
Fabrication : Lucile Pierret
Relecture : Lise Cornacchia

www.auzou.fr

 Rejoignez-nous sur Facebook et suivez l'actualité des Éditions Auzou.
www.facebook.com/auzoujeunesse